EL ENANO SALTARÍN

Hace mucho tiempo, en un país muy lejano, un día, el molinero le dijo al rey:

—Majestad, mi hija, además de bella, posee el don de hilar paja y convertirla en oro…

1

—¡Un don extraordinario!
—reconoció el monarca—.
Mañana la llevarás a palacio y
veré si es cierto.

Cuando la joven fue conducida
ante el rey, éste la introdujo en
una cámara donde había un

montón de paja, una silla y una
rueca.

—Si mañana al amanecer
no has convertido en oro este
montón de paja, morirás —le
dijo.

El rey cerró con llave, y la
muchacha, que no entendía nada,

se echó a llorar: ¿Cómo iba a convertir en oro aquel montón de paja si ni siquiera sabía hilar?

Pero, de pronto, se abrió la puerta y apareció un duendecillo:

—¿Por qué lloras? —le preguntó.

—¡Ay de mí! —sollozó la muchacha—. Antes de que amanezca, tengo que hilar esta paja en oro o moriré.

—¿Qué me darás, bella mujer, si la hilo yo antes del amanecer? —le preguntó el duendecillo.

—Te daré mi collar —ofreció ella.

El duendecillo aceptó, se sentó ante la rueca, y al amanecer había convertido en oro toda la paja. Cuando el rey bajó a la cámara y vio el oro, se quedó boquiabierto. Pero la codicia pudo más que él y condujo a la molinera a otra cámara, en la

que había un montón de paja aún mayor, y le dijo:

—Si aprecias tu vida, debes tener hilada en oro toda esa paja antes de que salga el sol.

Cuando el rey abandonó la cámara, apareció de nuevo el duendecillo y le dijo a la muchacha:

—¿Qué me darás, bella mujer, si la hilo yo antes del amanecer?

—Te daré mi anillo —contestó ella.

El duendecillo aceptó, y empezó a hilar hasta dejar convertida en oro toda la paja que allí había.

Pero el rey, llevado por la avaricia, ordenó conducir a la muchacha a una sala el doble de grande y repleta de paja.

—Si lo consigues, me casaré contigo —le dijo esta vez.

Cuando la muchacha se quedó sola, volvió a aparecer el duendecillo, que por tercera vez le dijo:

—¿Qué me darás, bella mujer, si la hilo yo antes del amanecer?

—Ya no tengo nada —le respondió.

— Entonces, prométeme que, cuando seas reina, me darás a tu primer hijo.

La muchacha, al no encontrar otra solución para seguir con vida, aceptó la propuesta del

duendecillo, que volvió a hilar la paja en oro.

El rey cumplió su promesa y se casó con ella.

Al cabo de un año, la joven tuvo un hijo. Y cuando ya no se acordaba del duendecillo, éste apareció una mañana en su aposento:

—La hora ha llegado de que cumplas lo pactado —le dijo.

La reina rompió a llorar.

—Te daré los tesoros del reino a cambio de mi hijo —le ofreció.

Tantas lágrimas derramó la reina, que el duendecillo se compadeció y le dijo:

—Si averiguas cómo me llamo, olvidaré lo pactado. En tres días volveré y te lo preguntaré.

La reina envió mensajeros por todo el reino para que anotaran todos los nombres.

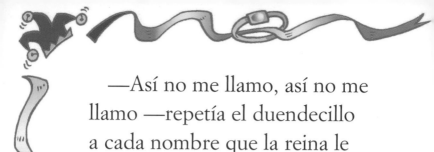

—Así no me llamo, así no me llamo —repetía el duendecillo a cada nombre que la reina le decía.

Poco antes de que el plazo concluyera, uno de los mensajeros le informó:

—Majestad, en el bosque he visto una casita con una hoguera, alrededor de la cual, un duendecillo saltaba y cantaba:

"¡Soy feliz! ¡Soy feliz!
Nadie sabrá al fin
que me llamo ¡Enano Saltarín!".

Al tercer día, se presentó el duendecillo para llevarse al niño, y la reina le dio largas:

—¿Te llamas Maturino?

—¡Por supuesto que no!

—¿Acaso Filiberto?

—¡Ni por casualidad!

—Entonces seguro, seguro que te llamas… ¡Enano Saltarín!

—¡No puede ser! ¿Cómo lo habéis adivinado? —exclamaba, incrédulo, el duendecillo, que, haciendo honor a su nombre, se alejó del palacio saltando.

Y así la joven molinera
en reina se convirtió
y en palacio vivió.